Cómo
Ganarse a la
Gente

La habilidad que trae grandes recompensas y satisfacción personal

Les Giblin

Publicado y distribuido por:

Editorial RENUEVO
info@EditorialRenuevo.com

Cómo Ganarse
a la Gente

La habilidad más rara

Un curso de repaso para
La Habilidad en el Trato Personal

Presentación

Este no es el típico libro acerca de «Cómo ser una buena persona». Es completamente diferente. Es un curso de repaso, un programa que enseña paso por paso y que va directo al punto de cómo tratar a la gente sabiamente y cómo incrementar tu habilidad en el trato personal.

Miles de los que han usado este programa te dirán que si tienes una mente abierta y un deseo de sacarle más provecho a la vida, los conceptos señalados en este libro harán maravillas de muchas maneras. Podría se la última oportunidad que tengas para mejorar tu calidad de vida.

¡Aprovéchalo!

Les Giblin

Aquel que entiende a otros
es entendido.
Aquel que se conoce a sí
mismo es sabio.
Lao-Tse

Contenido

El porqué pocas personas tratan a otros sabiamente

En la escala del 1-100 de Cómo Ganarse a la Gente, se estima que la persona promedio tiene un resultado de 10 a 15 y la calificación excepcional es de 25 a 30. Haciendo un análisis del conocimiento y las técnicas destacadas en este programa, uno puede verificar fácilmente lo poco que se usa.

¿Por qué los resultados son tan bajos?

1. La educación formal no incluye «Habilidad en el trato personal».

2. Para ser sabio en el trato con la gente – para tener habilidad en el trato personal – uno tiene que subordinar su propia naturaleza humana. Esta es una lucha de nunca acabar y requiere reforzamiento frecuente, pero muy poca gente lo recibe.

Educar no significa enseñar a las personas lo que no saben, sino enseñarles a comportarse como deben.

John Ruskin

3. La mayoría de los que han recibido algún entrenamiento en cuanto al trato con la gente, se «auto-derrotan» cuando se trata de reforzar e incrementar este conocimiento. Cuando esos individuos ven un programa como este, reaccionan casi automáticamente con respuestas como: *«Yo sé todo eso»* o *«Ya he pasado por eso»* en vez de hacerse a sí mismos la pregunta difícil, *«¿Realmente estoy usando esta técnica y conocimiento?»* o incluso una pregunta más importante, *«¿Puedo obtener más kilometraje de este conocimiento y esta técnica?»*

4. Finalmente, muy poca gente entiende que *el conocimiento* no es lo que te ayuda - es *el uso* del conocimiento lo que trae beneficios. No es lo que sabes, es lo mucho que usas de lo que sabes lo que trae beneficios.

Introducción

Qué - Porqué - Cómo

Qué

El primer objetivo de este programa es incrementar tus habilidades en tu trato con la gente. Pronto entenderás el beneficio de esto, así como los métodos de cómo hacerlo.

El objetivo del programa – incrementar tu habilidad en el trato personal – puede ser expresado de muchas maneras:

- Hacerte más sabio en el trato personal
- Darte conocimiento de cómo tratar con la gente
- Hacerte más eficaz con la gente

No importa qué nombres se le dé, este es un concepto importante. De hecho, sería muy difícil buscar un objetivo más digno. Muchas autoridades afirmarán que la mayor ayuda que puedes recibir en la vida – y la bondad más grande que puedas obtener – es en esta área. Habilidad en el trato personal también tiene muchos otros nombres:

- Liderazgo
- Arte de vender
- Habilidad administrativa
- Personalidad
- Encanto

¡Todos significan lo mismo!

Se estima que 1 de cada 200 personas tiene habilidad genuina para tratar con la gente y es verdaderamente sabia en la manera que trata con la gente. Tú serás ese 1 en 200. Lo único que necesitas es este curso, una mente abierta, y el deseo de lograr más habilidades y beneficios.

Los sicólogos han demostrado que el factor más importante para tu prosperidad y bienestar:

NO ES tu inteligencia
NO ES tu educación
NO ES tu físico

Es lo eficaz que eres con la gente y cuánto incrementas tu habilidad con la gente que te trae beneficios como ser:

Mejor profesión
Mejor vida social
Mejor vida familiar

Esto es porque las técnicas y reglas para tener más habilidad en el trato personal funcionan para toda persona. Los beneficios que provienen de la habilidad en el trato personal son muchos y variados:

- Más ingresos
- Más reconocimiento
- Más aceptación
- Más aprobación
- Más confianza
- Más excelencia
- Menos preocupación

- Más amigos
- Más prestigio
- Más ascenso
- Más seguridad
- Más satisfacción
- Menos temor

...sin mencionar el éxito con mayor bienestar.

Una buena medida del éxito personal no es tanto la habilidad en el trato personal, sino, si es la misma cantidad que tuvo el año pasado.

Success Insights

Porqué

Personas con habilidad en el trato personal son pocas.

1. La mayoría de la gente no se da cuenta de los beneficios que se obtienen al aumentar su habilidad de tratar con la gente. La lista de beneficios no son solamente palabras, son muy alcanzables. Cualquiera que pueda incrementar su habilidad de tratar con la gente puede beneficiarse de muchas maneras.

2. La mayoría de la gente no se da cuenta lo fácil que es aprender la habilidad de tratar con la gente. Todo lo que se necesita es entender la naturaleza humana, un nuevo enfoque y algunas técnicas fáciles, que este libro proporciona.

Este libro no es acerca de las últimas tendencias en liderazgo o las modas más actuales en ventas. El esquema de este libro prueba y examina habilidades desarrolladas en muchos años de práctica y trabajo duro – los verdaderos indicadores del éxito.

Cómo Tratar con la Gente Sabiamente está basado en la sabiduría de Lombardi y Rubinstein, esa excelencia que proviene del dominio de lo fundamental – haciendo de manera correcta lo básico. Este programa enfatiza lo básico, los fundamentos de cómo tratar con la gente porque ese es el camino para mejorar la habilidad en el trato personal y los beneficios que se obtienen.

 A través de lupa *Cuando se le preguntó al entrenador inmortal de fútbol americano Vincent Lombardi acerca del secreto de su éxito, él contestó, «Yo aprendí desde el principio que la excelencia proviene principalmente del dominio de lo fundamental, en hacer bien lo básico. En fútbol, lo básico es bloqueo y ataque...mi equipo practica el bloque y el ataque una y otra vez, constantemente. En los juegos de fútbol americano el equipo que hace lo básico es usualmente el que gana. Usualmente nosotros ganamos.» La filosofía simple de hacer lo básico bien hecho lo convirtió en uno de los más exitosos entrenadores de todos los tiempos y lo colocó en el Salón de la Fama.*

Cuando se le preguntó al mundialmente famoso pianista Arthur Rubinstein, cómo convertirse en un pianista excelente él dijo «Practica las escalas una hora al día como lo hago yo.» Tú puedes apreciar mejor lo profundo de esta declaración al observar la complejidad y la dificultad de las composiciones tocadas por un pianista de calidad mundial.

Cómo

En este programa, se maximiza la ciencia del aprendizaje. La manera en que la gente aprende se puede resumir de la siguiente manera:

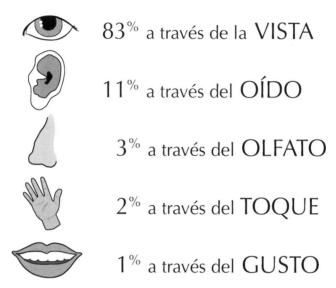

83% a través de la VISTA

11% a través del OÍDO

3% a través del OLFATO

2% a través del TOQUE

1% a través del GUSTO

Cerca del 95% del aprendizaje se lleva a cabo por medio de los sentidos de la vista y el oído. Esto explica por qué este método de enseñanza – usando fotos, dibujos y palabras gráficas en combinación resulta dando el mayor impacto.

Además utilizar otra regla básica de aprendizaje – aprendemos cuando ponemos en práctica – cada sección termina con una sección de ejercicios para completar, antes de continuar con la siguiente sección. Esto asegura tu progreso y al mismo tiempo reconoce el hecho de que el uso del conocimiento trae beneficios.

El más valioso de todos los talentos es el de no usar dos palabras cuando una lo comunica todo.

Thomas Jefferson

Cómo usar este libro de ejercicios

Conocimiento + Aplicación = ÉXITO

Antes de que puedas utilizar esta fórmula comprobada para el éxito, debes primeramente llegar al momento de la verdad: TÚ tienes que proporcionar la APLICACIÓN.

Lo que logres sacar de este programa depende de ti. Estas técnicas de cómo tratar con la gente no te ayudarán hasta que tú las uses. El conocimiento en sí no tiene valor. Es el uso de ese conocimiento lo que le da valor.

Hay tres posibles resultados de este programa:

✔ Enseñarte alguna habilidad de trato personal que aún no sabes
✔ Reforzar y recordarte de las habilidades que ya sabes
✔ Incrementar el uso de este conocimiento para que se incrementen los beneficios

Leer este programa no es suficiente. Mas bien requiere un plan de paso a paso, mejorando un poco cada semana y agregando una habilidad pequeña de manera regular y organizada.

A través de lupa

Benjamin Franklin dice en una autobiografía como él trató por años, sin tener éxito, de mejorar y librarse de ciertos hábitos. Y un día él hizo una lista de lo que él consideraba eran sus defectos, deficiencias tales como, mal genio, falta de paciencia y falta de consideración hacia los demás.

Luego escogió el que consideraba como problema número uno. En lugar de sólo hacer una resolución para mejorar, Franklin hizo un esfuerzo para identificar y mejorar el problema número uno. Uno por uno, él seleccionó un defecto y trabajó para mejorarlo. El resultado final fue, que en el término de un año él había vencido muchos malos hábitos que le habían estado deteniendo.

Nosotros no sabemos cuales son los errores de las personas, pero como todos, tenemos fortalezas y debilidades al tratar con la gente. El punto es que Benjamin Franklin brillantemente nos ha enseñado la única manera efectiva de corregir errores y debilidades. Debemos de corregirlos uno por uno en lugar de tratar de corregirlos todos al mismo tiempo. El sabio Benjamin Franklin ha hecho más fácil tu avance hacia el éxito y la felicidad.

A medida que leas cada una de las habilidades de Cómo Ganarse a la Gente, verás que al final del libro hemos incluido páginas para notas donde tú podrás apuntar las ideas claves o tus propias ideas. Toma notas y agrega tu propia perspectiva que te permitirá personalizar este programa a tus necesidades específicas.

Está atento a estos íconos a medida que vas estudiando este programa.

 A través de Lupa Estos son los ejemplos de las prácticas en acción de cómo ganarse a la gente. Echa un vistazo más cercano para que te des cuenta cómo otros han hecho funcionar estas prácticas para sí mismos.

 Gente Sabia ¡Buena Práctica! Dilo en voz alta y resume las mejores prácticas para que las puedas encontrar fácilmente.

 Listos, y... ¡ACCIÓN! Cuando veas este ícono al final de cada sección, es tiempo para que pongas a funcionar tu propio plan de acción. Repasa los componentes claves de una práctica en particular y escribe cómo tú lo vas a poner a trabajar de inmediato.

 Notas Aquí tú puedes escribir las grandes ideas y consejos, así como también tus propios planes para poner a funcionar las enseñanzas de cómo ganarse a la gente.

 Gente Sabia... Habilidad Usa esto como tú guía para dar seguimiento a la habilidad que tienes como objetivo. Mientras avanzas de habilidad en habilidad, el número irá cambiando.

Paso-Por-Paso Lista de Verificación

Gente Sabia 1

- [ ] Lea páginas 21-26
- [ ] Complete *Listos, y... ¡Acción!* en la página 27

Gente Sabia 4

- [ ] Lea páginas 43-46
- [ ] Complete *Listos, y... ¡Acción!* en la página 47

Gente Sabia 2

- [ ] Lea páginas 29-34
- [ ] Complete *Listos, y... ¡Acción!* en la página 35

Gente Sabia 5

- [ ] Lea páginas 49-56
- [ ] Complete *Listos, y... ¡Acción!* en la página 57

Gente Sabia 3

- [ ] Lea páginas 37-40
- [ ] Complete *Listos, y... ¡Acción!* en la página 41

Gente Sabia 6

- [ ] Lea páginas 59-62
- [ ] Complete *Listos, y... ¡Acción!* en la página 63

Gente Sabia 7

❑ Lea páginas 65-66
❑ Complete *Listos, y... ¡Acción!*
en la página 67

 Gente Sabia 9

❑ Lea páginas 75-78
❑ Complete *Listos, y... ¡Acción!*
en la página 79

 Gente Sabia 8

❑ Lea páginas 69-72
❑ Complete *Listos, y... ¡Acción!*
en la página 73

 Gente Sabia 10

❑ Lea páginas 81-84
❑ Complete *Listos, y... ¡Acción!*
en la página 85

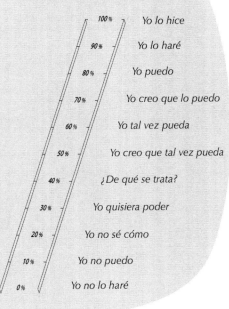

La Escalera de Auto-mejoramiento

100% — Yo lo hice
90% — Yo lo haré
80% — Yo puedo
70% — Yo creo que lo puedo
60% — Yo tal vez pueda
50% — Yo creo que tal vez pueda
40% — ¿De qué se trata?
30% — Yo quisiera poder
20% — Yo no sé cómo
10% — Yo no puedo
0% — Yo no lo haré

Cómo hablar con la gente 1

Lo primero es lo primero. Tratar con la gente sabiamente debe de empezar con un entendimiento de la gente y la naturaleza humana. Lo primero que debes de hacer para tener habilidad en tratar con la gente es reconocer a la gente por lo que es.

Esto puede parecer simple, pero es un hecho que la mayoría de nosotros no lo hace. Simplemente no somos objetivos con respecto a otras personas.

Ya sea porque no entendemos a la gente, o porque no hemos pensado mucho en esto, o nos engañamos a nosotros mismos o porque nos gusta dorar la relación, todo esto crea una barrera para tratar a la gente sabiamente.

Para reconocer a la gente por lo que es, primero tienes que reconocer qué es lo que más le interesa a la gente:

Amor	*Seguridad*	*Sí mismos*
Dinero	*Viajar*	*Libertad*
Confort	*Hogar*	*Negocio*
Estatus	*Familiares*	*Deportes*
Educación		
Comodidad		
Familia		
Amigos		
Paz		
Religión		
Política		
Placer		
Comida		
Vestimenta		

La habilidad de comunicarse efectivamente con otras personas es uno de los mejores talentos en la vida.

Millard Bennett

Esta es una lista de 22 cosas en las que más estamos interesados. Quizá muchos de estos podríamos considerar como nuestro interés #1, dependiendo de nuestros valores y gustos. Mas cuando revisas cuidadosamente esta lista y reflexionas sobre ella, una cosa se destaca sobre todas las demás. Probablemente tú ya la has elegido; pero si no, estarás de acuerdo cuando sea señalada:

Sobre todo, la gente está más interesada en **sí misma**.

Verdad: Una de las constantes de la vida —es una verdad ahora, ha sido siempre una verdad y siempre lo será— es que la gente primeramente quiere saber qué provecho o beneficio hay para ella.

Verdad: Casi todos nosotros somos iguales en este aspecto; son raras las excepciones.

Sabiduría: No deberíamos de sentirnos avergonzados o con sentido de culpa en cuanto a esta característica. El hombre no hizo al hombre, Dios hizo al hombre y lo hizo con una fuerza innata de interés en sí mismo.

Es el reconocimiento de este rasgo lo que nos permite ser sabios en el trato con la gente. Empecemos con la aplicación misma de ser hábiles en la conversación – las mejores palabras para usar, los mejores temas para conversar.

Notas

No exageres en el uso de estas **tres** palabras:

yo, mí, mío

En vez de eso,
use estas **cuatro**
palabras muy
efectivas:

TI, TE, TÚ, TUYO

«*Esto es para **TI**.*»
«***TÚ** te beneficiarás.*»
«***TU** familia también se beneficiará.*»
«*Hacer esto **TE** ayudará.*»

A través de lupa

Quieres abrir una caja fuerte, pero la caja está cerrada con llave. Si tienes éxito abriéndola, habrá muchas cosas buenas para ti.

Tienes dos series de números. Uno abre la caja fuerte y tú podrás obtener las cosas buenas. La otra serie de números no abre la caja fuerte, sin embargo a ti te gusta mucho más esta serie que la otra.

Si te preguntaran, «¿Cuál de las series vas a usar para abrir la caja fuerte?» tu respuesta sería, «La serie correcta, por supuesto.»

Ahora, en lugar de abrir una caja fuerte, hablemos de abrir a la gente y en lugar de usar una serie de números usemos una serie de palabras.

Ciertas palabras 'prenden' a la gente y ciertas palabras 'desactivan' a la gente. **TI, TE, TÚ** y **TUYO** 'prenden' a la gente. **YO, MÍ** y **MIO** 'apagan' a la gente. Las personas no van a responder o reaccionar favorablemente a un trato egocéntrico al usarse las palabras **YO, MÍ, MÍO**; es mucho más probable que respondan favorablemente si tú usas las palabras **TI, TE, TÚ,** y **TUYO**.

La gente común usa un acercamiento egocéntrico. Pero la gente sabia usa un acercamiento centrado en la otra persona.

Habla con la gente sobre lo que más le interesa: SÍ MISMA.

Así como es de importante usar un lenguaje centrado en la otra persona, también es importante hablar con ellos acerca de sí mismos. (**TU** trabajo, **TU** carrera, **TU** familia, **TU** bienestar, **TU** departamento.)

Tú tienes **una** de dos opciones.

OPCIÓN 1:

Tú puedes ser el conversador habitual, expresar tus opiniones, decir lo que piensas, y hablar acerca de lo que quieres hablar, en general, ser común como Juan o Maria Promedios.

Por supuesto, mantén en mente que Juan y Maria Promedios no son necesariamente gente emocionante o interesante.

U
OPCIÓN 2:

Tú puedes ser la persona excepcional, el conversador habiloso y la persona con quien a los demás les encana hablar y de quien todas las conversaciones son bienvenidas.

¿Cómo lo haces? ¡Escoges el tema apropiado sobre el cual conversar!

A través de lupa

Por ejemplo, tú estás hablando con Mary Brown. Tú puedes hablar de tu éxito, del clima, de otra persona o hablar de Mary Brown.

Cuando tú hablas de Mary Brown con Mary Brown, mira como sus ojos se iluminan, mira su sonrisa, mira como se ablanda y escúchala decir lo interesante que tú eres. Y, aquí está el A-ja, tú eres interesante para Mary Brown. ESE es el punto. Es divertido ver que esto suceda.

Entonces, ¿Cómo consigues que la gente hable de sí misma?

Pregúntale acerca de sus opiniones:

¿Qué **TE** parece?
¿Qué piensas **TÚ** de......?
¿**TE** gustaron los resultados?

Pregúntale acerca de su persona:

¿**TE** divertiste en **TU** vacación?
¿Cómo van las cosas en **TU** trabajo?
¿Cómo **TE** llevas con los demás?

¡Lograr que LA GENTE hable de sí misma es mucho mejor que TÚ hables de ellos! La gente está más a gusto cuando ellos hablan de su tema favorito y como resultado, te responden de manera favorable.

A través de lupa

Un agente de seguros vendió un póliza de $500,000 a un hombre que le tenía terror a las oficinas de los doctores. El cliente le advirtió al agente que con o sin póliza él no pasaría mucho tiempo en la oficina del doctor. Se hizo una cita con el doctor para un examen físico y así no había retraso. Desafortunadamente hubo una emergencia con un paciente que tuvo que ser atendido a último minuto y hubo un retraso. El agente de seguros mantuvo a su cliente ocupado dándole su opinión, diciéndole la historia de su vida, y contestándole preguntas de sí mismo hasta que el doctor terminaba de atender la emergencia.

¿Te parece simple? Sería mejor decir, ridículamente simple. Fue además eficaz y muy sabio en su trato con su cliente.

Resumen:

Habilidad en el trato personal empieza con entender a la gente y a la naturaleza humana. Recuerda los siguientes puntos:

Entendiendo a la gente

1. Reconoce a las personas por lo que son
2. La gente está interesada en sí misma, pero....
3. Sobre todo, la gente está interesada en SÍ MISMA

Hablando con la gente

1. Cuando hables con la gente no uses mucho las palabras *YO, MÍ* y *MÍO*
2. En vez de eso, usa *TÚ* y *TUYO*
3. Converse con la gente sobre el tema que más le interesa: **sí misma**
4. Pero aun mejor todavía, haz que ELLOS mismos hablen de **sí mismos**

La Persona Sabia pide las opiniones de otras y hace que hablen de sí mismos.

Notas

_____

Gente Sabia Habilidad 1:
Cómo hablar con la gente

Alcanzando éxito en esta área

Paso 1 Analízate en cuanto a las técnicas que se te da a continuación.

Paso 2 Revisa todas las técnicas en las que necesitas mejorar.

Paso 3 Por lo menos durante una semana o más, practica estas técnicas hasta que se vuelvan hábitos.

Concéntrate sólo en esta única Habilidad para esta semana

❏ Voy a recordarme a mí mismo diariamente que la gente está principalmente interesada en sí misma

❏ Voy a usar menos las palabra YO, MÍ, y MÍO y usa más las palabras: TÚ y TUYO

❏ Voy a hablar con la gente de ellos mismos

❏ Voy a hacer preguntas acerca de ellos y pedirles sus opiniones

❏ Voy a lograr que la gente hable de sí misma

*Voltea la página para completar tu
Diario de Gente Sabia para la próxima semana.*

Semana en repaso

Usa esta sección para crear un plan de acción, celebrar los éxitos y anotar observaciones importantes relacionadas con esta habilidad.

	Acción/Meta	Resultados	Pensamientos adicionales
domingo			
lunes			
martes			
miércoles			
jueves			
viernes			
sábado			

Cómo hacer que la gente se sienta importante 2

Sabiduría en el trato personal proviene del reconocimiento y el uso de la naturaleza humana. La parte clave de esta declaración es «uso de la naturaleza humana». Una cosas es reconocer la naturaleza humana y otra muy distinta ponerla a trabajar para ti. La naturaleza humana con frecuencia ha sido descrita como una fuerza similar a un poderoso río o la marea. Aprovecharla y hacerla funcionar para tu beneficio es ser verdaderamente sabio en el trato personal con la gente.

Los Experimentos de Hawthorne

A través de lupa

Los experimentos de Hawthorne se llevaron acabo entre 1924 y 1932 con los empleados de la planta eléctrica Western Electric Hawthorne en Cicero, Illinois, en la cual un grupo de trabajadores de la planta de la sub-línea de ensamblaje fueron observados para medir como el ajuste del medio ambiente afectaba la productividad.

Cuando la compañía agregó un incentivo, la producción aumentó. Ellos agregaron un segundo incentivo y la producción aumentó nuevamente. Ellos agregaron un tercer incentivo y la producción aumentó de nuevo.

Algunos de los ingenieros decidieron averiguar que pasaba si el incentivo era eliminado. Cuando ellos quitaron el primer incentivo, la producción incrementó de nuevo. Ellos quitaron el segundo incentivo y sucedió lo mismo. En un esfuerzo por revertir la tendencia, los ingenieros modificaron el lugar de trabajo: levantando los bancos, reduciendo las sillas e introduciendo poca luz. La producción se incrementó al punto más alto que jamás ese haya alcanzado.

¿Cuál es el análisis final? Este es un ejemplo excepcional del principio de hacer sentir bien a la gente y la importancia de la dinámica social. Los trabajadores fueron el enfoque de años de estudios y observaciones, se les mantuvo informados y se les dio la oportunidad de ser escuchados. Ellos querían mantener satisfechos a los investigadores cuya atención les estaba haciendo sentir bien.

Mientras más haces que la gente se sienta importante, mejor les caerás y te responderán.

¿Qué es lo que nos motiva?

Nuestro rasgo más fuerte es el instinto de auto-preservación; el deseo de vivir es lo más importante para nosotros cuando nos encontramos en peligro o riesgo. No sucede con frecuencia – tal vez un par de veces en nuestra vida – que estamos en peligro o pensamos que estamos en peligro. Cuando esto sucede, nuestro instinto de sobrevivencia toma el poder, automáticamente, sin pensarlo. Nada más nos importa, ni dinero, ni propiedades, ni apariencia. Sólo queremos salir enteros.

No todos los días ponemos en uso nuestro rasgo más fuerte. Como tal, esto dignifica que nuestros rasgos cotidianos adquieren una mayor importancia. **Aún así, muy pocos de nosotros reconocemos cual es nuestro segundo rasgo más fuerte: el deseo de ser importantes.**

El deseo de ser importantes motiva a la gente; cuando tú sabes esto, entiendes mejor a la gente.

Todos queremos ser tratados como un don alguien. Hacer que la gente se sienta importante los «prende". Si tú haces que la gente se sienta como el «perro grande» les caerás bien. Hacerte el importante «apaga» a la gente. De modo que si haces que se sientan como un «perro chico» se van a resentir contigo.

Cuando tú haces que la gente se sienta importante, tú estás aumentando su autoestima. La autoestima es extremadamente importante para todos nosotros porque queremos sentirnos bien con nosotros mismos y es mucho más fácil hacerlo cuando otros nos tratan bien.

No es de extrañar que la gente responda positivamente a esos quienes les hacen sentir bien. En realidad, la habilidad de hacer que otra gente se sienta importante es la piedra angular para el encanto personal.

¿Cómo haces para que la gente se sienta importante?

1. Ten habilidad para escuchar a la gente

Escuchar a la demás gente es la mejor manera de hacerlos sentir importantes. Cuando escuchas a la gente tú les estás haciendo saber que ellos son lo suficientemente importantes para que tú los escuches. Tú les estás haciendo saber que tú los respetas y que su opinión cuenta.

Por supuesto, esto adula a la otra persona e incrementa su autoestima. Incremente positivamente la opinión que tienen de ti y como resultado, ellos te responderán. Usualmente, el solo hecho que tú los estés escuchando es suficiente para congraciarte con ellos. Por lo contrario, no escucharlos es la forma más segura de hacerlos sentir que no son importantes y hacerlos sentir como un don nadie. (Recuerda, todos queremos sentir que somos un don alguien.)

2. Aplaude y elógialos

Cuando ellos se lo merecen...a la gente le encanta sentirse apreciada, aplaudida y elogiada. Los sociólogos dicen que es una motivación básica en todos nosotros y que es natural para la gente responder positivamente a quienes los aplauden y elogian. La respuesta no es solamente una reacción natural, sino algo mucho más poderoso:

> *Hay una carencia de aplausos y elogios en nuestro diario vivir, y no es porque no merezcamos ni un solo aplauso de vez en cuando o un halago ocasionalmente, es porque nadie los dice.*

La mayoría de nosotros somos tan orientados al YO que no pensamos en las demás personas. Si escuchamos y observamos verificaremos que hay una carencia de aplausos y halagos.

 Los expertos que buscan conseguir algo de otra persona, van a dar un halago sincero antes de hacer su solicitud. ¡Funciona todo el tiempo! Eso es tratar con la gente sabiamente.

31

3. Usa su nombre con frecuencia

Conéctate con la otra persona usando su nombre 10 veces en el primer minuto de la conversación:

«Hola **Juan**, ¿cómo estás?»
«Me alegra verte **Juan**.»
«Siéntate **Juan**, por favor.»
«Luces bien, **Juan**.»
«¿Cómo está tu familia, **Juan**?»

Se entiende la idea. Sin exageración, todos tenemos un deseo: Todos queremos ser tratados como individuos, no como parte de un grupo. Lo que nos hace únicos es la cosa más individual que poseemos – nuestro nombre.

Nota la diferencia cuando usamos el nombre de la persona y cuando no lo usamos.

Sin nombre	Con nombre
Buenos días.	*Buenos días, María.*
Gracias.	*Gracias, Sr. Gómez.*
Fue un placer.	*Fue un placer, Juan.*

Ver y escuchar sus nombres le da a la gente una sensación de importancia, un sentido de pertenencia. Esa es la razón por la cual la gente usa placas sobre los escritorios y gafetes para identificarse.

Usa nombres en tus oraciones e incluye el nombre de la persona frecuentemente en tu conversación.

4. Haz una pequeña pausa antes de contestar

Cuando alguien te hace una pregunta o está en espera de tus comentarios, espera unos instantes antes de decir lo que tengas que decir. Esta es sicología excelente y sutileza de alto rango. Cuando haces una pausa antes de contestar, tú aumentas el autoestima de la otra persona. Tú das la impresión que la pregunta de la otra persona es una pregunta inteligente y los halagas siendo cortés y considerando lo que ellos han dicho.

Por el contrario, cuando contestas inmediatamente tú haces exactamente lo opuesto. Tú creas la impresión que ni siquiera has pensado en las palabras que te han dicho, causando que ellos se sientan ignorados y menospreciados. Esto no sucede siempre, pero el riesgo existe y es tan innecesario.

 Pausando unos segundos antes de expresar tus pensamientos es una técnica de Gente Sabia que hace que el hablante sienta que es escuchado y respetado.

5. Reconoce a las personas que te esperan

Simplemente hazle saber a otros que tú sabes que ellos están esperando. Devuelve las llamadas y la correspondencia pronto y proporciona llamadas provisionales, cartas y correos electrónicos cuando no tienes la disposición final. Cuando reconoces a las personas, tú las estás tratando como alguien importante. La gente es más tratable cuando se siente reconocida.

6. Habla con ellos acerca de ellos; usa TI, TE, TÚ y TUYO para que la persona se sienta importante

Cuando usas TI, TE, TÚ y TUYO estás haciendo que la otra persona sea persona importante. Pero cuando usas YO, MÍ y MÍO te estás haciendo el importante.

Notas

33

Resumen:

El rasgo más fuerte en el ser humano es el instinto de autopreservación. El segundo rasgo más importante es el deseo de sentirse importante. Mientras más importante haces sentir a la gente, mejor les vas a caer y te responderán de manera favorable.

Haces que la gente se sienta importante cuanto **tú crees** que son importante, y luego...

- ✔ Eres hábil en escucharle
- ✔ Le aplaudes y le elogias
- ✔ Usas su nombre con frecuencia
- ✔ Tomas una pausa antes de contestarle
- ✔ Reconoces a las personas que quedan en espera
- ✔ Al conversar con ellos, usas TI, TE, TÚ y TUYO en lugar de usar YO, MÍ y MÍO

Un toque de la naturaleza hace que todo mundo sea pariente.

William Shakespeare

Listos, y...
¡ACCIÓN!

Gente Sabia Habilidad 2:
Cómo hacer que la gente se sienta importante

Alcanzando éxito en esta área

Paso 1 Analízate en cuanto a las técnicas que se te da a continuación.

Paso 2 Revisa todas las técnicas en las que necesitas mejorar.

Paso 3 Por lo menos durante una semana o más, practica estas técnicas hasta que se vuelvan hábitos.

Concéntrate sólo en esta única Habilidad para esta semana

❑ Voy a ser habiloso en escuchar a la gente

❑ Voy a halagar y elogiar a la gente

❑ Voy a usar su nombre con frecuencia

❑ Voy a pausar antes de responderle

❑ Voy a usar TI, TE, TÚ y TUYO al hablar con la gente

Voltea la página para completar tu Diario de Gente Sabia para la próxima semana.

Semana en repaso

Usa esta sección para crear un plan de acción, celebrar los éxitos y anotar observaciones importantes relacionadas con esta habilidad.

	Acción/Meta	Resultados	Pensamientos adicionales
domingo			
lunes			
martes			
miércoles			
jueves			
viernes			
sábado			

Cómo entrar en acuerdo con la gente

3

De todas las técnicas en el trato sabio con la gente, hay una que se destaca por encima de las demás y resulta siendo algo muy sencillo.

Domina el arte de estar de acuerdo

1. Ponte de acuerdo con la gente. Desarrolla una naturaleza de carácter agradable. Una vez un hombre sabio dijo «Cualquier tonto puede estar en desacuerdo con la gente, se requiere de un hombre inteligente, un hombre astuto, para estar de acuerdo con la gente.»

Un eslogan popular del servicio al cliente declara «El cliente siempre tiene la razón.» Tienes que estar de acuerdo aun cuando la otra persona está equivocada. Cuando tú estás de acuerdo con la gente, lo haces sentir bien y ayudas a que ellos mejoren la opinión de sí mismos, ya que esto es lo que todos desean y necesitan. Como resultado, les caerás bien y te responderán de una manera positiva. Es un intercambio muy sencillo: tú estás de acuerdo con ellos, ellos te responden.

Mucho esfuerzo...
mucha prosperidad.

Eurípides

El arte de ponerse de acuerdo con la gente es un recurso esencial para Gente Sabia.

2. El arte de entrar en acuerdo es más que simplemente estar de acuerdo. Incluye comunicación de este hecho a otras personas. Tú puedes hacer esto moviendo la cabeza en señal de estar de acuerdo y diciendo las palabras mágicas, *«tienes razón»* o *«estoy de acuerdo contigo.»* Estas palabras mágicas resuenan en la otra persona. Considera lo opuesto: mover tu cabeza en forma de desacuerdo con el hablante. No es de extrañar que la gente ponga resistencia a este comportamiento.

3. Admite cuando te has equivocado. Cuando estás equivocado, dilo en voz alta «Yo estaba equivocado,» o «Cometí un error.» Se necesita ser una persona madura para admitir un error. Al hacerlo, te ganas el respeto y la admiración de los demás. Al final, es lo que más importa.

A través de lupa

Vamos a volver a usar nuestra historia perro pequeño/ perro grande. Nuestro perro pequeño no sabe tanto de gente como nuestro perro grande, quien tiene carácter fuerte. Cuando el perro pequeño se porta mal, siempre va a hacer una de tres cosas: mentir (no lo puede evitar), poner una excusa (yo no lo hice) o negarlo (no fue mi culpa).

Tanto hablando de la gente como de los perros, en este caso, no hay manera que el perro pequeño pueda ganar con esas tácticas. La gente va a ver con desprecio al perro pequeño e inevitablemente éste va a perder más de lo que hubiera perdido si tan solo hubiera admitido que estaba equivocado.

Por otro lado, el perro grande, debido a su habilidad de tratar con la gente y su carácter fuerte, admite que está equivocado cuando está equivocado y se convierte en el líder de la manada.

Todos admiramos a la gente que tiene la fuerza y el carácter de decir «yo estaba equivocada» o «cometí un error».

---

4. No digas en vos alta que no estás de acuerdo, a menos que sea absolutamente necesario. Por supuesto, hay muchos casos en los cuales no es posible o no es práctico estar de acuerdo. Sin embargo, la mayoría de veces cuando estamos en desacuerdo es totalmente innecesario y, en realidad, hay más choque de egos e ideas en conflicto. Ánimo, no se espera que seas un hipócrita o que comprometas el respeto por ti mismo, tus principios, tu orgullo, tu integridad o tu posición política. Tú debes hablar - clara e indistintamente - si eso se pone en entredicho.

Tú vas a ganar mucho más si no estás en desacuerdo con la gente de lo que vas a ganar si estás de acuerdo ellos. Antes de estar en desacuerdo, la Gente Sabia se pregunta si estar en desacuerdo es realmente necesario.

Hay tres razones para que haya el arte de estar de acuerdo:

1. A la gente le cae bien la persona que está de acuerdo con ellos

2. A la gente no le cae bien la persona que no está de acuerdo con ellos

3. A la gente no le gusta cuando otros no están de acuerdo con ellos

Las mejores técnicas de Gente Sabia no siempre funcionan.

No decimos que las técnicas funcionan siempre o deberían de funcionar. Lo que sí es cierto es que las técnicas de Gente Sabia funcionan la mayoría de las veces y lo más importante es que funcionan mejor que las otras opciones. Algunas veces, con el arte de estar de acuerdo, van a haber ocasiones en las que debes y tienes que hablar y veces en las que sería una locura y poco práctico estar de acuerdo con la otra persona.

El propósito supremo de la vida no es el conocimiento, sino las acciones.

Thomas Huxley

Sin embargo, son muy pocas veces y de vez en cuando. Un análisis objetivo te va a mostrar que casi todos los desacuerdos son innecesarios; estos deben de y tienen que ser evitados.

Resumen:

Tratar a la gente sabiamente incluye el dominio del arte de ponerse de acuerdo. Esta técnica es muy sencilla:

1. Sé persona agradable y ponte en acuerdo con los demás.

2. Díselo a la gente cuando estás de acuerdo con ella.

3. Si no puedes estar de acuerdo, no te manifiestes en desacuerdo, a menos que sea absolutamente necesario.

4. Cuando te hayas equivocado, admítelo.

A través de lupa

Considera estas preguntas: ¿cambiarías un dólar por un centavo? Por supuesto que no.

Tal vez los desacuerdos innecesarios te den un centavo de placer, pero el valor que pagarás por la reacción de la otra gente será en dólares. ¿Por qué? Porque así es la naturaleza humana. A la gente le gusta que las personas estén de acuerdo con ella, y a la gente no le gusta las personas que estén en desacuerdo con ellos.

Notas

Gente Sabia Habilidad 3:
Cómo entrar en acuerdo con la gente

Alcanzando éxito en esta área

Paso 1 Analízate en cuanto a las técnicas que se te da a continuación.

Paso 2 Revisa todas las técnicas en las que necesitas mejorar.

Paso 3 Por lo menos durante una semana o más, practica estas técnicas hasta que se vuelvan hábitos.

Concéntrate sólo en esta única Habilidad para esta semana

❏ Voy a ponerme de acuerdo con la gente de una manera natural

❏ Le voy a decir a la gente que estoy de acuerdo con ellos usando frases como: «Estoy de acuerdo contigo» y «Tienes razón»

❏ No voy a decir en voz alta que estoy en desacuerdo a menos que sea absolutamente necesario

❏ Voy a admitir cuando esté equivocado

Voltea la página para completar tu Diario de Gente Sabia para la próxima semana.

Semana en repaso

Usa esta sección para crear un plan de acción, celebrar los éxitos y anotar observaciones importantes relacionadas con esta habilidad.

	Acción/Meta	Resultados	Pensamientos adicionales
domingo			
lunes			
martes			
miércoles			
jueves			
viernes			
sábado			

Cómo escuchar a la gente 4

Ser buen oyente es doblemente importante, porque la habilidad de saber escuchar es habilidad número uno en lo social, a parte de que debe de ser parte de la profesión.

La habilidad de escuchar es una tremenda posesión personal. Tú eres más eficaz con la gente cuando estás escuchando que cuando estás hablando.

✔ Entre más escuchas a la gente, mejor le caerás a la gente.

✔ Entre más escuchas a la gente, más inteligente serás. Tú aprendes más escuchando que hablando. Tú agregas a tu conocimiento lo que la otra persona sabe, que tú no sabías. «Dos saben más que uno» cuando le preguntaron a Richardson Sid por qué casi nunca hablaba, él contestó de esta manera «*Yo no aprendo cuando estoy hablando.*» Él dejó una herencia de varios millones de dólares.

Escuchar, y no el imitar, resulta siendo la forma más sincera de halagar.

Joyce Brothers

✔ Entre más escuchas, mejor conversador serás. Cuando escuchas a las personas, tú estás permitiendo que éstas escuchen a su hablante favorito. Escuchar es una parte importante para ser un buen conversador; tú aumentas su autoestima, y estás ganando gratitud.

Sin duda, la ventaja de ser un buen oyente es tremenda.

Las cinco reglas para ser un habiloso oyente son:

1. Mira a la persona que te está hablando y continúala mirando mientras esté hablando. Ser un habiloso oyente no es un accidente. Tú debes de escuchar tanto con tus ojos como con tus oídos. Cualquiera que valga la pena escuchar, vale la pena mirar. Cuando escuchas con tus ojos y tu oídos varias cosas suceden:

✔ Tú le das a la gente un halago

✔ Tú le demuestras que estás escuchando

✔ Tú obtienes una imagen completa de lo que está diciendo porque puedes ver tanto lo que dice con sus gestos como lo que dice con palabras

 Gente Sabia mira a la persona con el cual está hablando.

2. Escucha con atención e inclínate hacia el hablante. Dale la impresión de que estás muy interesado; aparenta como si no quisieras perderte una sola palabra. La expresión de tu rostro es el barómetro de tu interés. Inclinarse hacia el hablante es excelente sicología.

 Gente Sabia se inclina hacia la persona con el cual está hablando.

3. Haz preguntas. Hay dos razones por las cuales debes de hacer preguntas. Las preguntas hacen saber al hablante que tú estás escuchando y las preguntas son una forma sutil de halagar. En la ciencia de escuchar, es preferible que se haga preguntas en lugar de comentarios. Las preguntas pueden ser tan simples como:

✔ ¿Y luego qué pasó?

✔ ¿Cuánto tiempo te tomó?

✔ ¿Y cómo saliste de eso?

✔ ¿Lo harías de nuevo?

El hacer preguntas al hablante indica que estás interesado y le hace sentir bien.

4. No interrumpas o cambies de tema. La interrupción es el error más común cuando escuchamos. Un gran paso para aumentar tus habilidades como oyente es eliminar las interrupciones de otra gente y otras cosas en tus conversaciones. Las interrupciones no siempre son intencionales y a veces son hechas por personas que no están conscientes de lo que están haciendo. Un cambio brusco a un nuevo asunto o cambio de tema es lo mismo que interrumpir. La gente se reciente en gran manera cuando son interrumpidos con la persona que hizo la interrupción. Interrumpir o cambiar de tema no es más que descortesía y mala educación.

Como Gente Sabia experta tú sabes bien que interrumpir al hablante o bruscamente cambiar el tema son contraproducentes y cosas que nunca se hacen. La solución es ser más paciente y ejercer más auto-disciplina.

5. Cuando comentes o te unas a la conversación, usa *TI, TE, TÚ* y *TUYO* **en lugar de** *YO, MÍ* y *MÍO.* Cuando usas *TÚ*, mantienes en enfoque al hablante. Cuando usas *YO*, cambias el enfoque a tu persona. ¡Has cambiado la relación por completo! ¿Recuerdas lo que mencionamos anteriormente en Cómo Hablar con la Gente? Se explicó la importancia de usar las palabras correctas. Especialmente cuando usas TI, TE, TÚ o TUYO para «prender» a la gente. Cuando usas YO, MÍ, y MÍO, «apagar» a la gente.

Manteniendo el enfoque en la otra persona usando palabras como TI, TE, TÚ y TUYO es algo de sentido común, es efectivo y lo que hace Gente Sabia.

Resumen:

La habilidad de escuchar es una gran destreza personal. Entre mejor oyente seas:

✔ Mejor vas a caer a los demás

✔ Llegarás a ser más sabio en el trato personal

✔ Te convertirás en mejor conversador

Las cinco reglas para ser un oyente habiloso son:

1. Mira a la persona que te está hablando y continúala mirando mientras que esta persona esté hablando

2. Escucha con atención e inclínate hacia el hablante

3. Haz preguntas

4. No interrumpas y no cambies de tema

5. Cuando comentes o te unas a la conversación, usa **TI, TE, TÚ** y **TUYO** en lugar de **YO, MÍ** o **MÍO**. Cuando usas **TÚ**, mantienes el enfoque en el hablante

La diferencia entre ganadores y perdedores en la vida no radica en la cantidad de conocimiento sino en el grado del uso del conocimiento común.

Success Insights

Gente Sabia Habilidad 4:
Cómo escuchar a la gente

Alcanzando éxito en esta área

Paso 1 Analízate en cuanto a las técnicas que se te da a continuación.

Paso 2 Revisa todas las técnicas en las que necesitas mejorar.

Paso 3 Por lo menos durante una semana o más, practica estas técnicas hasta que se vuelvan hábitos.

Concéntrate sólo en esta única Habilidad para esta semana

❑ Voy a mirar a la persona cuando ésta me esté hablando

❑ Voy a escuchar con atención e inclinarme hacia el hablante

❑ Voy a hacer preguntas

❑ No voy a interrumpir ni cambiar bruscamente de tema

❑ Voy a hacer comentarios usando *TI, TE, TÚ* y *TUYO*

*Voltea la página para completar tu
Diario de Gente Sabia para la próxima semana.*

Semana en repaso

Usa esta sección para crear un plan de acción, celebrar los éxitos y anotar observaciones importantes relacionadas con esta habilidad.

	Acción/Meta	Resultados	Pensamientos adicionales
domingo			
lunes			
martes			
miércoles			
jueves			
viernes			
sábado			

Cómo influenciar a la gente

5

Influencia – *cómo hacer que la gente haga lo que tú quieres que haga* – involucra el uso de simple lógica aplicada a la naturaleza humana. Existe un gran secreto para tener éxito en influenciar a los demás. Cuando conoces este secreto, puedes fácilmente convertirte en un experto en este campo. Para conmover a la gente y que ésta se abra contigo, primero averigua qué es lo que ellos quieren.

A través de lupa

El comedor típico lucha con la tarea de abrir almejas y ostras. Para el que no sabe cómo, abrirlas es una tarea dura. Muy poca presión no las abre; presión en el punto equivocado no las abre; mucha presión, con el martillo las echará a perder; pero los expertos pueden abrirlas en un abrir y cerrar de ojos.

Así como con las almejas y las ostras, así es la influencia con la gente – el hecho de saber como hacerlo, tener el conocimiento – saber como usarlas apropiadamente facilita la tarea y los resultados son más satisfactorios.

Cuando tú sabes lo que los mueve, entonces sabes cómo conmoverlos.

¿Qué botón para qué persona?

¿Prestigio?	¿Reconocimiento?	¿Seguridad?
¿Satisfacción?	¿Superioridad?	¿Ego?
¿Dinero?	¿Amistad?	¿Hacer bien?

Ve a tu alrededor. Piensa en la gente que tú conoces y lo primero que notas es que la gente es diferente en muchas maneras. Se viste diferente, come diferentes cosas, vive de una manera diferente, va a diferentes iglesias y vive diferente estilo de vida y diferentes gustos. Para poderla influenciar primero tenemos que descubrir qué es lo que la mueve. Diferentes cosas mueven a la gente. La gente hace y deja de hacer cosas por diferentes razones.

La sabiduría viene de coincidir a las personas con sus gustos y deseos. Cuando sabemos lo que la gente quiere, entonces sabemos como conmoverlos. El problema es que tenemos una fuerte tendencia para asumir que lo que nosotros queremos y lo que nos gusta es lo que la otra gente quiere y lo que a ellos les gusta. ¡No funciona de esta manera! La gente tiene sus propios deseos, sus propios valores y sus propios gustos.

Nuestro mayor anhelo en la vida es encontrar a alguien que nos haga hacer todo lo que podamos.

Ralph Waldo Emerson

Averigua lo que quiere, lo que busca y luego... enséñale a la gente cómo conseguir lo que quiere, haciendo lo que tú quieres que haga.

A través de lupa

Echemos un vistazo a los políticos exitosos. Ellos quieren que la gente vote por ellos y consiguen que ella lo haga prometiendo o dando la impresión que es para el beneficio de los votantes que lo tienen que hacer. Específicamente, cuando los políticos hablan a los trabajadores hablan de trabajo, cuando hablan a negociantes, hablan de negocios, cuando hablan a la gente de tercera edad, hablan de lo que a ellos les interesa, cuando les hablan a los agricultores hablan de lo que a ellos les interesa. En otras palabras, los políticos ajustan sus presentaciones a los intereses de su audiencia.

No debería ser diferente para nosotros en nuestro diario vivir. Cuando queremos que la gente haga algo, debemos de ajustar nuestros intereses a los intereses de ella.

Notas

Presiona los BOTONES CALIENTES

Dile a la gente lo que quiere oír; usa sus deseos para conmoverla. Tu estarás absolutamente sorprendido de lo fácil que es lograr que la gente haga lo que tú quieres que haga cuando muestras interés en sus intereses, hablas su mismo idioma y tienes una buena conexión con ella.

La PERSONA   El botón CALIENTE

Persona vanidosa .... Levanta su ego

Filántropo .... Habla de caridad y bienestar de otros

Persona orgullosa .... Habla acerca de sus logros

Jugador de equipo .... Habla de los beneficios para el grupo

Persona de familia .... Muestre los beneficios para su familia

Persona cautelosa .... Muéstrele eficiencia y cómo ahorrar

Deseoso de seguridad .... Habla acerca de calidad y seguridad

Busca reconocimiento .... Habla de cómo recibirá reconocimiento

Notas

La habilidad de influenciar a la gente consta de presionar el botón apropiado.

¿Cómo sabes lo que la gente desea?

No es difícil determinar los valores de otra persona, lo que quieren, lo que a ellos les gusta.

Pregunta sobre temas de interés personal:

> *¿Qué es lo que más deseas de tu trabajo?*
> *¿Qué es lo que más deseas de la vida?*
> *¿Qué es lo que más valoras?*

Escucha sus respuestas. Esta es la manera en que lo puedes conocer.

Observa a la gente. Ella te dirá muchas cosas por medio de sus acciones, con frecuencia más de lo que te dirá con palabras.

Finalmente, **Estudia** a la gente. La gente es materia fascinante e interesante, materia con la que nunca te aburrirás.

Tú vas a notar un común denominador en estas cuatro maneras de enterarte de las personas: tú tienes que estar interesado en las personas. La mayoría de nosotros estamos interesados en nosotros mismos, no preguntamos, no escuchamos, no somos observadores, y no estudiamos a la gente. Esto es primeramente porque a nosotros no nos importa o no estamos interesados. Como resultado, nos perdemos de muchos de los beneficios que trae el tener habilidad en el trato personal.

Para convencer a la gente, habla por medio de «terceras personas».

Tú puedes ser más convincente y más persuasivo si te acercas de la manera correcta. Cuando estás tratando de comunicar algo, trata de comunicarlo usando la técnica de «terceras personas». Nota la diferencia entre: 'yo creo,' 'yo digo,' o 'yo siento' y 'Bill Jones dice,' 'vi en el periódico que,' o 'escuché en el radio que...'

¿Por qué?

Porque aunque no te crean a ti, ellos creerán a terceras personas.

A través de lupa

Si se le preguntara a un famoso orador o autor si su libro es bueno, él no respondería con, «Yo creo que es un gran libro.» Sino, él usaría la técnica de hablar por medio de «terceras personas» al decir, «Más de 300,000 personas lo han comprado.» De igual modo, si alguien le preguntara si vale la pena tomar su seminario, les respondería con, «Trescientas compañías lo han llevado a cabo.»

Notas

La técnica de «terceras personas» puede ser usada de las siguientes tres formas:

« »

Citas:

«La Empresa CVA dice que es el mejor en el mercado.»
«Juan González dice que este nuevo producto es la solución.»
«La Sra Martínez que acaba de enviudar dijo, 'Gracias a Dios por el seguro de vida.'»

$

Cuenta historias de éxito:

La Compañía Luz y Fuerza vendió más de $8000 de este producto.
Tú vecino ganó X dólares de este producto.

datos

Usa datos y hechos:

Más de 100,000 personas usan este producto.
Nosotros hacemos negocio con más de 100 de tus amigos y vecinos.

Es naturaleza humana que la gente sea escéptica cuando tú dices algo a tu favor; cuando lo dicen terceras personas es más probable que la gente lo acepte. Es simplemente cuestión de tu propia credibilidad.

Usar la técnica de la tercera persona – un testimonio establecido – para convencer a la gente es ser Gente Sabia.

Notas

Usar la técnica de la tercera persona incrementa de gran manera tu credibilidad. Tú eres más creíble, más convincente, más persuasivo, y tú puedes hacer que tu declaración sea más fuerte.

Si tú estás vendiendo tu carro por $10,000 y el probable comprador cuestiona el precio, ¿qué tiene más peso?

- Yo creo que $10,000 es un precio justo.
- El Blue Book tiene el precio de $11,000 por este carro.
- El concesionario de carros usados está pidiendo $10,800 por modelos que ni son tan buenos como este carro.

Si estás vendiendo tu casa y quieres $200,00 por ella, pero la persona que quiere comprarla te ofrece $170,000, ¿qué tiene más peso?

- Yo hice una investigación cuidadosa de otras casa como ésta y el precio es competitivo.
- Hace dos semanas la casa fue avalorada por algo más de este precio.

Por supuesto, la segunda respuesta de ambas preguntas es la mejor.

Deja que la técnica de la tercera persona sea tu defensa. Usa citas y hechos para apoyar tu respuesta.

Notas

Resumen:

Influir en otros comienza con el reconocimiento de lo que es más importante para ellos y no lo que sea importante para ti.

1. Hay un gran secreto para ser exitoso en influir en las vidas de otros.

2. Antes de influenciar a la gente, debes de encontrar qué es lo que los mueve.

3. Enséñale a la gente cómo conseguir lo que quiere, haciendo lo que tú quieres que hagan.

4. Para saber lo que la gente quiere, hazle preguntas, escúchala, y estúdiala.

5. Para convencer a la gente, habla por medio de «terceras personas.»

6. Puedes acabar con el escepticismo, puedes hacer que tus declaraciones sean más fuertes y convencer a la gente más rápido usando citas en lugar de decirlo por ti mismo.

Caras nuevas...tienen más autoridad que caras conocidas.

Eurípides

Gente Sabia Habilidad 5:
Cómo influenciar a la gente

Alcanzando éxito en esta área

Paso 1 Analízate en cuanto a las técnicas que se te da a continuación.

Paso 2 Revisa todas las técnicas en las que necesitas mejorar.

Paso 3 Por lo menos durante una semana o más, practica estas técnicas hasta que se vuelvan hábitos.

Concéntrate sólo en esta única Habilidad para esta semana

❑ Voy a influenciar a la gente descubriendo lo que ésta quiere, sus gustos, sus valores y sus necesidades

❑ Voy a hacer esto escuchándola, haciéndola preguntas y estudiándola

❑ Voy a enseñarle a conseguir lo que quiere, haciendo que haga lo que le indico

❑ Voy a convencerla usando la técnica de la tercera persona

Voltea la página para completar tu
Diario de Gente Sabia para la próxima semana.

Semana en repaso

Usa esta sección para crear un plan de acción, celebrar los éxitos y anotar observaciones importantes relacionadas con esta habilidad.

	Acción/Meta	Resultados	Pensamientos adicionales
domingo			
lunes			
martes			
miércoles			
jueves			
viernes			
sábado			

Cómo ayudar a la gente a decidirse 6

Una de las habilidades que la gente debe de tener es ayudar a la gente a que tome decisiones. Obtener decisiones favorables de la gente no depende de buena suerte, conjeturas o caprichos. Aquellos que tienen habilidades en relaciones humanas tienen técnica, lo que aumenta grandemente las posibilidades en conseguir que la gente diga SÍ. Conseguir que la gente diga SÍ es simplemente ayudarles a que tomen decisiones.

La frase 'habilidad con la gente' (cómo ganarse a la gente) ha sido usada muchas veces en este libro de ejercicios. Conseguir que la gente te dé un SÍ, conseguir que actúen de una manera favorable hacia ti, es el objetivo de Cómo Ganarse a la Gente. Las siguientes son técnicas que van a incrementar tu poder con la gente, además es divertido usarlas.

1. Dale a la gente una razón para decirte SÍ.
Casi todo se hace por una razón, así que cuando quieras que la gente haga algo, dale una razón para que lo haga. Cuando tú le das a la gente una razón, es mucho más probable que hagan lo que tú quieres que hagan. Pero asegúrate de darle sus razones no las tuyas. Hacer uso de sus razones significa mostrarle a ésta las ventajas y los beneficios a su favor.

Tus razones VS. Ahorrarás dinero / Te ayudará / Conocerás a nuevas personas

El mejor momento para darle a la gente las razones para que te diga SÍ, es cuando está tomando una decisión. El tiempo es importante en casi todo. Cuando consigues que la gente tome decisiones favorables, el tiempo es muy importante. Darle razones a la gente en el momento exacto cuando está tratando de decidir algo es un factor importante y un factor decisivo. Si ya le diste sus razones y todavía está dudando o debatiendo, repítele las razones o dale nuevas.

No hay nada más difícil, y por lo tanto más valioso, que el poder decidir.

Napoleon I

2. Haz preguntas SÍ.

Preguntas SÍ son preguntas que únicamente se pueden responder con un SÍ. Considera las siguientes preguntas:

P: «Quieres que tu familia sea feliz, ¿no es cierto?»
R: «¡SÍ!»

P: «A ti te gusta disfrutar de la vida, ¿no es cierto?»
R: «¡SÍ!»

La idea de una pregunta que tenga como respuesta SÍ es simple. Tú multiplicas las oportunidades de que te den una respuesta positiva cuando ya tienen la mente positiva con un SÍ.

Cuando la gente te ha contestado SÍ varias veces es mucho más fácil para ellos y - mucho más probable que digan SÍ a tu propuesta, idea o solicitud. Las preguntas que tienen como respuesta SÍ no solamente son efectivas, también son divertidas.

Hay dos técnicas importantes cuando usas preguntas que tienen como repuesta SÍ – asegúrate de no hacer señales negativas con la cabeza mientras haces las preguntas y enfoca la orientación con las palabras TI, TE, o TÚ.

«¿**TE** gustaría ganar más dinero?»
«¿**TE** gustaría tener un trabajo en el que **TE** diviertes?»
«¿Es importante para **TI** la flexibilidad?»

3. Dale a la gente a escoger entre dos preguntas que tengan SÍ como respuesta.

Usa preguntas intencionadas: Dale a la gente a elegir entre decir SÍ en una manera u otra haciendo preguntas intencionadas.

Para conseguir que alguien trabaje horas extras: «*¿Te gustaría trabajar horas extras esta noche o mañana en la noche?*»

Para conseguir una cita: «*¿Te puedo ver en la mañana o prefieres por la tarde?*»

De cualquier manera la respuesta es SÍ.

Cuando das a las personas a encoger entre SÍ o SÍ, tú les estás dando a escoger para que hagan lo que tú quieres que hagan de una manera o de otra.

En el ejemplo anterior, la manera menos indicada de hacer la pregunta sería, «*¿Puedes trabajar horas extras el día de mañana?*» y «*¿Puedo verte mañana?*» Con preguntas intencionadas se consigue un SÍ como respuesta y con las preguntas no intencionadas es muy probable que sea un NO.

 Dando a la gente dos opciones de respuesta SÍ es ser Gente Sabia.

4. Hazle saber a la gente que tú esperas como respuesta un SÍ.

La gente siendo gente, la naturaleza humana siendo lo que es, cuando quieres que la gente haga algo, una de las mejores maneras para conseguir que haga lo que tú quieres es hacerle saber que tú esperas que te dé un SÍ como respuesta. Te sorprenderá ver la cantidad de personas que no necesitan otra razón más, que saber lo que se espera de ellos.

«*Por supuesto que vas a querer ganar este incentivo.*»

«*Se espera de todos los miembros asistencia a las reuniones.*»

Muestra fuerza, muestra firmeza, y sé definido y te sorprenderás de cuantas respuestas SÍ recibirás de la gente.

Esta técnica no funciona todo el tiempo, pero la mayoría de veces funciona mejor que los métodos alternativos. Haz la prueba y velo tú mismo.

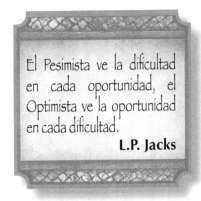

> El Pesimista ve la dificultad en cada oportunidad, el Optimista ve la oportunidad en cada dificultad.
>
> **L.P. Jacks**

Estas cuatro técnicas para ayudar a la gente a tomar decisiones son ejemplos de implementar el conocimiento en el trato personal. Es el uso del conocimiento que crea Gente Sabia. Recuerda, tú no debes de depender de la suerte, conjeturas o los caprichos de otra gente. La razón, por supuesto, ahora ya la sabes. No hay necesidad de hacerlo. Hay mejores maneras como lo demuestran estas cuatro técnicas.

En realidad, estas cuatro técnicas son las técnicas que usan los mejores vendedores para cerrar contratos. Ellos las usan para hacer que sus clientes actúen, que compren, que digan SÍ, y eso es exactamente lo mismo que querer que la gente te diga SÍ.

Usa estas cuatro técnicas simples y recuerda, es el uso del conocimiento lo que hace Gente Sabia.

Resumen:

Obtener decisiones favorables de la gente no depende de la suerte, las conjeturas o los caprichos. Hay cuatro técnicas para conseguir que la gente te dé SÍ como respuesta.

1. Dale razones a la gente para que te diga SÍ.
2. Haz preguntas SÍ y pon a la persona en un estado mental de SÍ. Menea la cabeza indicando SÍ al hacer la pregunta con enfoque en la palabra TÚ o TE o TI.
3. Dale a la persona opción a escoger entre dos respuestas SÍ.
4. Hazle saber a la gente que esperas que su respuesta sea SÍ.

Poder y habilidad con la gente es el resultado del uso del conocimiento. Estos son ejemplos básicos de conocimiento y que van a incrementar el poder y la habilidad para tratar con la gente.

Gente Sabia Habilidad 6:
Cómo ayudar a la gente a decidir

Alcanzando éxito en esta área

Paso 1 Analízate en cuanto a las técnicas que se te da a continuación.

Paso 2 Revisa todas las técnicas en las que necesitas mejorar.

Paso 3 Por lo menos durante una semana o más, practica estas técnicas hasta que se vuelvan hábitos.

Concéntrate sólo en esta única Habilidad para esta semana

❑ Voy a dar a la gente razones para que me diga SÍ

❑ Voy a hacer preguntas que tengan respuestas positivas y convencer a la gente para que tenga una «mente positiva». Voy a menear la cabeza en forma positiva mientras hago preguntas y voy a iniciar la orientación con la palabra TÚ o TE o TI

❑ Voy a dar a la gente opciones entre dos preguntas que tengan como respuesta SÍ

❑ Voy a hacer saber a la gente que espero que su respuesta sea un SÍ

Voltea la página para completar tu
Diario de Gente Sabia para la próxima semana.

Semana en repaso

Usa esta sección para crear un plan de acción, celebrar los éxitos y anotar observaciones importantes relacionadas con esta habilidad.

	Acción/Meta	*Resultados*	*Pensamientos adicionales*
domingo			
lunes			
martes			
miércoles			
jueves			
viernes			
sábado			

Cómo influenciar el ánimo de la gente 7

Los primeros segundos de un encuentro son lo que establecen el tono y el temple de la relación. La segunda ley básica del comportamiento humano es: **La gente tiene la fuerte tendencia de responder según el comportamiento de la otra persona.**

Cuando tú tienes la habilidad de poner a la gente de buen ánimo, incrementas las oportunidades de lograr que ésta haga lo que tú quieres que haga. La habilidad de poner a la gente de buen humor no es difícil cuando tú lo haces de la manera correcta.

Además, el momento propicio es la clave. Es la manera en la que tú inicias el trato con la gente lo que puede establecer el mejor estado de ánimo porque el tono y el temple al inicio es lo que establece la relación.

Esta es la habilidad del trato personal a lo máximo. Tú puedes hacer que 9 de cada 10 personas sean amigables, corteses y colaboradoras en un segundo. ¿Cómo? En el primer segundo — ese instante cuando haces contacto con la vista y antes de decir cualquier cosa — dale a la gente una sonrisa sincera. Ésta responderá de la misma manera.

> ¡Cuesta tan poco! Me pregunto por qué damos tan poca importancia a una sonrisa, palabras amables, una mirada, un toque. ¿Qué tiene de malo la magia que hay en éstos?
>
> **Carolyn Ruth Howel**

Esta es la forma más segura, más rápida, más fácil para ganar a la gente. Esta técnica simple es una necesidad para los expertos y lo debe de ser para ti. Si no usas esta técnica, tomará mucho más trabajo y más tiempo (horas, días y aun semanas) de tu parte para poner a la gente en un estado de ánimo amigable y efusivo, algo que pudieras haber podido hacer en un segundo. Recuerda sonreír antes de romper el silencio, antes de decir «hola» por primera vez, antes de decir cualquier cosa. Una sonrisa antes de decir ninguna otra cosa es mucho más efectiva que en ningún otro momento.

Si te presentas como tormenta, tormenta recibirás; si te presentas como sol, rayos de sol recibirás. Gente Sabia aprovecha esta técnica para condicionar a la gente.

Resumen:

Los primeros segundos de un encuentro personal es lo que establece el tono y el temple de esa relación.

1. Recuerda, la segunda ley más importante en el comportamiento humano es: La gente tiene la fuerte tendencia a responder según el comportamiento de la otra persona. Con esta ley, tú puedes hacer que 9 de cada 10 personas sean amigables, corteses y colaboradoras en un segundo.

2. En el primer segundo, en el primer instante de establecer contacto con la vista, antes de decir algo, dale a la gente una sonrisa sincera.

Gente Sabia Habilidad 7:
Cómo influenciar el ánimo de la gente

Alcanzando éxito en esta área

Paso 1 Analízate en cuanto a las técnicas que se te da a continuación.

Paso 2 Revisa todas las técnicas en las que necesitas mejorar.

Paso 3 Por lo menos durante una semana o más, practica estas técnicas hasta que se vuelvan hábitos.

Concéntrate sólo en esta única Habilidad para esta semana

❏ Voy a dar una sonrisa sincera antes de decir algo

❏ Voy a recodar la segunda ley básica del comportamiento humano: La gente responde de la misma manera

❏ Voy a recordar que con la gente, un rayo de sol engendra un rayo de sol y una tormenta engendra una tormenta

❏ Voy a hace un gran esfuerzo para ser más amigable y más agradable

Voltea la página para completar tu Diario de Gente Sabia para la próxima semana.

Semana en repaso

Usa esta sección para crear un plan de acción, celebrar los éxitos y anotar observaciones importantes relacionadas con esta habilidad.

	Acción/Meta	Resultados	Pensamientos adicionales
domingo			
lunes			
martes			
miércoles			
jueves			
viernes			
sábado			

Cómo elogiar a la gente

8

No sólo de pan vive el hombre. A decir verdad, él necesita tanto comida para su espíritu como para su cuerpo físico. ¿Recuerda cómo te sentiste cuando alguien te dijo una palabra amable o un cumplido? Recuerdas cuánto duró ese buen sentimiento positivo? Algunas veces pudo haber durado varios días.

¿Cuál puede ser el beneficio de una experiencia de este tipo - que otros reaccionen como tú reaccionas?

Sé generoso con los halagos. No se trata de cómo te sientes cuando halagas a alguien o que te sientes que caminas en las nubes cuando lo haces o incluso que te hayas sentido bien por un buen rato. La lección en dar halagos es que si tú reaccionas de esa manera, otros también reaccionarán de la misma manera.

Los elogios son alimento para el espíritu, los elogios «prenden» a la gente, lo elogios te congracia con la gente, los elogios le dan poder a la gente y te hacen un sabio en tu trato con la gente.

Si quieres caerle mejor a la gente, ten más amigos, sé una mejor persona, y trata a la gente sabiamente, busca algo o alguien a quien halagar y hazlo.

Pero así como sucede con muchas cosas en la vida, siempre hay las cláusulas de letra pequeña.

Di cosas a la gente con el fin de que tanto ésta como tú se sentirá bien por lo que dijiste.

Los elogios nunca deben tratarse de lamentos, comentarios lamentables o conjeturas.

Que tus elogios sean sinceros.

Los expertos han enseñado que la sinceridad es una necesidad absoluta para elogiar apropiadamente. Si tus elogios no son sinceros, no los des. Es mejor no elogiar a nadie si el elogio no es sincero. Los elogios insinceros han sido descritos como el insulto de un millón de dólares. Todos conocemos a personas que son generosas con sus elogios, pero la gente no los aprecia y hasta puede resentirse de ellos porque sus elogios no son sinceros. Utilizado apropiadamente, el halago es una herramienta poderosa. Usado de manera inapropiada resulta siendo contraproducente.

Elogia los hechos y no a la persona.

Cuando tú halagas a la persona:

- ✔ Es posible que sientan vergüenza
- ✔ Es posible que se sientan confundidos
- ✔ Te expones a posibles acusaciones de favoritismo

Pero cuando elogias a los hechos, evitas todo esto además de crear un incentivo para mucho más.

Incorrecto: Sra. Martínez, ¡hizo un excelente trabajo!
Mejor: Sra. Martínez, el trabajo que hizo en cuanto a la cuenta de los Rodríguez, en particular los ahorros que has descubierto por utilizar métodos de costos de contabilidad, fue excelente.

Incorrecto: Sr. González, ¡Usted eres un gran hombre!
Mejor: Sr. González, las horas extras que ha trabajado han sido de gran ayuda y apreciamos mucho su actitud al respecto.

Aquí va una fórmula para la felicidad que también sirve para buenos negocios: Todos los días, dile algo bueno a por lo menos tres personas. Acostúmbrate a tener este hábito excelente. Te traerá más a cambio por menos esfuerzo más que cualquier otra cosa que hagas.

Esta fórmula te traerá felicidad, ya que tú eres el principal beneficiario al utilizar esta habilidad en el trato personal. Cuando tú ves la mirada de agradecimiento y gozo en las caras de quienes les has dicho palabras amables, vas a disfrutar más de la vida y te sentirás más contento contigo mismo. Disfrutar de uno mismo es una de las victorias de la vida.

Además ayudas a otros a aumentar su autoestima al hacerlos sentirse bien.

Muchas cosas buenas resultan del uso de estas técnicas básicas de tratar a la gente sabiamente.

Entre más pronto empieces, más pronto recibirás beneficios.

Notas

Resumen:

Así como se te indicó en el Capítulo 7, es importante recordar que los primeros segundos de un encuentro marcan el tono y temple de una relación.

1. Recuerda que no sólo de pan vive el hombre, necesita tanto alimento apara el espíritu como para el cuerpo físico.

2. Sé generoso con los elogios.

3. Sin embargo, los elogios deben de ser sinceros.

4. Elogia el hecho y no a la persona.

5. Usa la fórmula de la felicidad: Todos los días di algo bueno a por lo menos tres personas.

Notas

Gente Sabia Habilidad 8:
Cómo elogiar a la gente

Alcanzando éxito en esta área

Paso 1 Analízate en cuanto a las técnicas que se te da a continuación.

Paso 2 Revisa todas las técnicas en las que necesitas mejorar.

Paso 3 Por lo menos durante una semana o más, practica estas técnicas hasta que se vuelvan hábitos.

Concéntrate sólo en esta única Habilidad para esta semana

❏ Voy a ser generoso con los elogios

❏ Voy a ser sincero cuando halague a alguien

❏ Voy a halagar el hecho y no a la persona

❏ Voy a usar la fórmula de la felicidad, diciendo por lo menos una palabra amable a tres personas todos los días

Voltea la página para completar tu Diario de Gente Sabia para la próxima semana.

Semana en repaso

Usa esta sección para crear un plan de acción, celebrar los éxitos y anotar observaciones importantes relacionadas con esta habilidad.

	Acción/Meta	Resultados	Pensamientos adicionales
domingo			
lunes			
martes			
miércoles			
jueves			
viernes			
sábado			

Cómo criticar a la gente

9

La herramienta más filuda que tiene el ser humano es la lengua, así que evita lastimar a la gente cuando tratas con ella. El secreto del éxito de la crítica radica en el espíritu en que se la da. La manera en que se da la crítica controla los resultados. Si criticas a la gente para enderezarla o criticarla de manera general, vas a cosechar resentimiento. Si criticas a la gente a manera de corregirlos entonces esta forma sabia de tratar con la gente será de gran ayuda.

Como todo lo demás, hay buenas y mala críticas. Las siguientes son 7 técnicas simples que te ayudarán para que tengas éxito cuando critiques a la gente:

1. **Toda crítica debe de ser hecha en privado.** Debe de ser un diálogo entre dos personas no un ejemplo para muchos. Esto demuestra que tu crítica es constructiva y no destructiva.

No se trata de lo que el hombre puede despreciar, menospreciar o defectos que pueda encontrar, sino lo que él puede amar, valorar y apreciar.

John Ruskin

Nunca pongas a la gente en una posición donde tenga que perder su dignidad, eso es lo que sucede cuando la crítica no es hecha en lo privado. Sin embargo, cuando quieras dar una crítica de advertencia a un grupo, enfócate en las acciones no en las personas.

2. Empieza toda crítica con un cumplido o una palabra amable.
Ya se enfatizó anteriormente que los primeros segundos en
una conversación marcan el tono y temple de la relación.
Aquí hay otro ejemplo de este principio, empieza toda
crítica con algo positivo. Crea un ambiente amigable. Haz
que la gente sea más receptiva antes de decir la crítica.

Piensa como si estuvieras plantando un jardín. Antes de sembrar
la semilla de la crítica, prepara la tierra con amabilidad o un
cumplido. A continuación van algunos ejemplos:

*Últimamente tu trabajo ha sido bueno, y realmente necesitamos
que pongas tu atención en...*

*Apreciamos la manera en
que has cooperado.
Hay un punto en el
que podrías ayudar...*

*Gracias por tu
ayuda en ese
asunto. En el futuro
ten cuidado de no...*

La técnica sencilla de dar un cumplido o palabra amable hará
que tu crítica sea más efectiva.

3. Haz que todas las críticas sean impersonales. Critica el hecho,
no a la persona. Cuando hablamos de halagos, hablamos de
halagar el hecho, no a la persona. Lo mismo se aplica en la
crítica – critica el hecho, no a la persona. Si te enfocas en el
hecho y no en la persona, hay más posibilidades de que la
reacción sea positiva. Recuérdate que tú no conoces a la otra
persona lo suficiente como para hacer una crítica personal,
pero sí tienes el derecho de criticar el hecho que observaste
con tus propios ojos.

Incorrecto: *«Juan, tú eres el problema aquí.»*
Mejor: *«Juan, no podemos tolerar el trabajo mal hecho.»*

Incorrecto: *«¡Tú eres tan menso!»*
Mejor: *«Se ve que este trabajo no se hizo con esmero.»*

4. *Provee la respuesta.* La respuesta quiere decir la manera correcta. Si dices que algo está mal, también di qué es lo correcto. El liderazgo consta de crítica constructiva.

5. *Critica solamente una vez.* La crítica más justificada sólo se dice una vez. No vuelvas a hablar del mismo asunto, ni directa ni indirectamente. Si la crítica es ignorada, cuando vuelva a hablar del tema, habla de la crítica que ha sido ignorada, no de la acción pasada.

6. *No exijas.* Primero, pide la cooperación de los demás. Es de la naturaleza humana que la gente coopere cuando se le piden las cosas, no cuando se le exigen.

7. *Termina de manera amigable.* Termina de una manera amigable; que la última palabra sea cordial. Refuerza la relación, aclara que el tema ha sido cerrado y que de hoy en delante verás hacia delante no hacia atrás. Cuenta con que la otra persona que has criticado hará lo mismo. De las siete reglas, esta es la más importante.

La crítica es como el champán, si está mal no hay nada más execrable; si está bueno, no hay nada más agradable.

Charles Caleb Colton

Notas

Resumen:

El secreto de la crítica exitosa radica en el espíritu en el cual se lo da.

Hay siete reglas para la crítica exitosa:

1. Toda crítica debe de hacerse en privado.

2. Inicia la crítica con una palabra amable.

3. Haz que la crítica sea impersonal. Critica el hecho - no a la persona.

4. Provee la respuesta o la solución.

5. Critica solamente una vez.

6. Solicita su cooperación.

7. Termina de manera amigable.

Notas

Listos, y...

¡ACCIÓN!

Gente Sabia Habilidad 9:
Cómo criticar a la gente

Alcanzando éxito en esta área

Paso 1 Analízate en cuanto a las técnicas que se te da a continuación.

Paso 2 Revisa todas las técnicas en las que necesitas mejorar.

Paso 3 Por lo menos durante una semana o más, practica estas técnicas hasta que se vuelvan hábitos.

Concéntrate sólo en esta única Habilidad para esta semana

❑ Voy a decir mi crítica en privado

❑ Voy a empezar mi crítica con un halago o palabra amable

❑ Voy a criticar el hecho y no a la persona

❑ Voy a proveer respuestas y soluciones

❑ Voy a criticar el hecho solamente una vez

❑ Voy a pedir su cooperación; no voy a exigir

❑ Voy a terminar de una manera amigable

Voltea la página para completar tu Diario de Gente Sabia para la próxima semana.

Semana en repaso
Usa esta sección para crear un plan de acción, celebrar los éxitos y anotar observaciones importantes relacionadas con esta habilidad.

	Acción/Meta	Resultados	Pensamientos adicionales
domingo			
lunes			
martes			
miércoles			
jueves			
viernes			
sábado			

Son las cosas pequeñas las que hacen una gran diferencia en ser hábil con la gente. Se deben demostrar gratitud y apreciación. No solamente porque es bueno y correcto, sino porque es efectivo con la gente. No es suficiente con pensar lo mucho que tú aprecias a alguien. ¡Comunícalo! Uno de los deseos básicos de la gente es sentirse apreciada. Una de las debilidades de la gente es que no muestra aprecio con frecuencia.

Aprende el arte de decir GRACIAS.

Es un verdadero arte decir, 'gracias'. Todos podemos decir gracias con facilidad, pero pocos de nosotros sabemos expresar un agradecimiento sincero con elegancia, delicadeza y gran eficacia. La habilidad de dar gracias de manera efectiva tiene mucho valor en la naturaleza humana. El deseo de ser apreciado es uno de los cinco deseos básicos en todos nosotros. Cuando comunicamos efectivamente nuestro agradecimiento al decir gracias, estamos no solamente actuando de manera civilizada, sino también satisfaciendo la necesidad de otra persona.

Todos los sentimientos hermosos en el mundo pesan menos que un solo acto de amor.

James Russell Lowell

El arte de tratar a la gente sabiamente debe de incluir el arte de poder decir, 'gracias'. La habilidad de dar gracias de manera efectiva realmente dará muy buenos resultados.

Aquí hay cinco reglas simples para dar gracias de manera efectiva:

1. *Cuando digas 'gracias' hazlo de corazón.* Sé sincero cuando agradeces a la gente porque ella se da cuenta cuando eres sincero y cuando no.

2. *Di 'gracias' de manera clara e inteligiblemente.* Dilo con sentido; no balbucees o susurres. Dilo como si estuvieras muy contento de estarlo diciendo.

3. *Mira a la persona cuando lo agradeces.* Tiene mucho más significado. Si vale la pena agradecer, vale la pena mirar a la persona.

4. *Agradece a la persona por nombre.* Personaliza tus agradecimientos con nombres personales.

5. *Practica el agradecimiento con las personas.* Si alguno de nosotros se cayera, perdiera algo o necesitara alguna ayuda y alguien nos ayudara, por supuesto que estuviéramos agradecidos y daríamos las gracias. En innumerable situaciones que sean obvias, la persona normal agradecería sinceramente – pero esto que decimos no se aplica a cualquier situación. Esto se aplica a las veces no-tan-obvias cuando se requiere un poco más de esfuerzo para expresar agradecimiento.

Notas

Expresar gratitud, — y no tan sólo de pensar que la otra persona ya sabe que estás agradecido — requiere esfuerzo proactivo. Crea oportunidades para dar gracias al equipo de apoyo, la gente que está detrás del escenario (asistentes, empleados, recepcionistas, mecánicos), y a todas las demás personas que necesitan oírlo. Escribe una nota, haz una llamada por teléfono o dilo personalmente.

El esfuerzo extra y el tiempo que se toma para dar gracias es exactamente lo que separa a la persona común de la persona que es Gente Sabia.

Notas

Resumen:

No dejes que las personas adivinen tus sentimientos. Muestra tu aprecio y gratitud. Aprende el arte de decir, 'gracias'.

1. Di 'gracias' de corazón.

2. Dilo clara e inteligiblemente.

3. Mira a la persona cuando le agradeces.

4. Agradéceles por nombre.

5. Practica el agradecimiento: haz una llamada telefónica, escribe una nota o da gracias en persona.

Notas

Gente Sabia Habilidad 10:
Cómo agradecer a la gente

Alcanzando éxito en esta área

Paso 1 Analízate en cuanto a las técnicas que se te da a continuación.

Paso 2 Revisa todas las técnicas en las que necesitas mejorar.

Paso 3 Por lo menos durante una semana o más, practica estas técnicas hasta que se vuelvan hábitos.

Concéntrate sólo en esta única Habilidad para esta semana

❏ Voy a ser sincero cuando exprese mi agradecimiento

❏ Voy a dar las gracias clara e inteligiblemente

❏ Voy a mirar a la persona que estoy agradeciendo

❏ Voy a agradecer a la gente por nombre

❏ Voy a practicar el agradecimiento, dando gracias tanto por las cosas pequeñas como por las obvias

Voltea la página para completar tu
Diario de Gente Sabia para la próxima semana.

Semana en repaso

Usa esta sección para crear un plan de acción, celebrar los éxitos y anotar observaciones importantes relacionadas con esta habilidad.

	Acción/Meta	Resultados	Pensamientos adicionales
domingo			
lunes			
martes			
miércoles			
jueves			
viernes			
sábado			

¡Felicidades!

Has completado con éxito este programa. Este es un gran logro y tú cosecharás los beneficios por el resto de tu vida. Porque tú has tenido la fuerza y la sabiduría para tomar ventaja de esta excelente oportunidad para ayudarte a ti mismo y a tu familia, una última sugerencia...

Un buen número de personas incrementan los beneficios de este programa repitiendo periódicamente las 10 habilidades de tratar a la gente sabiamente. Tú te darás cuenta que vale la pena hacer lo mismo.

¡Buena suerte!

Les Giblin

> El conocimiento en sí no tiene valor; es el uso del conocimiento lo que le da valor.
>
> **Les Giblin**

Notas

Notas

Notas

Notas

Notas

Notas

Notas